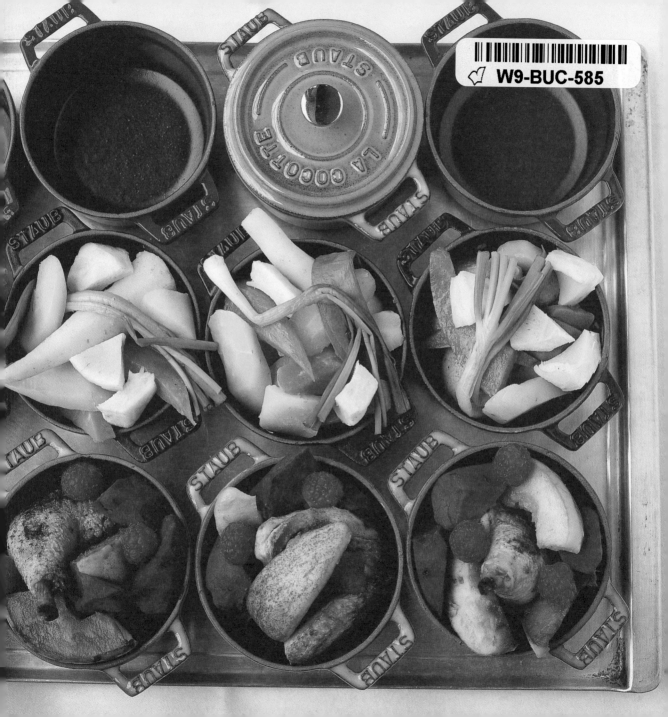

PETITES COCOTTES

José Maréchal
Photographies de Akiko Ida
Stylisme de Camille Fourmont

SOMMAIRE

Astuces pour bien cuire en mini-cocottes

PORTIONNER :

Tailler les ingrédients en plusieurs morceaux plus ou moins à l'échelle des mini-cocottes pour une cuisson plus rapide, plus juste mais aussi pour déguster plus aisément ces mini-plats.

PRÉCUIRE :

Saisir les morceaux de viandes, blanchir les légumes à l'eau bouillante, faire revenir ou caraméliser certains fruits avant de terminer la cuisson en cocottes avec un fond de sauce, un bouillon, un vin ou une crème afin que les produits ne se désèchent.

MARINER :

Attendrir et parfumer les différents ingrédients cuisinés en cocottes grâce à des condiments, des sauces plus ou moins exotiques, des jus de fruits, du miel, des épices...

CUIRE :

Phase finale de la cuisson des cocottes, au four le plus souvent.

AU BAIN-MARIE

C'est placer les cocottes dans une plaque à rebords hauts remplie à mi-hauteur d'eau et enfourner à température moyenne (150 °C ou th. 4/5).

BRAISER

C'est cuire les ingrédients dans les cocottes remplies à mi-hauteur d'une préparation liquide (bouillon, jus crémeux, marinade, etc.) et d'une garniture aromatique.

RÔTIR

C'est cuire à four très chaud des cocottes dont les ingrédients ont été préalablement précuits, blanchis, etc., pour leur donner une jolie couleur dorée.

portionner ↗

cuire ↘

précuire ↗

mariner ↘

LES ŒUFS EN KIT

Selon l'humeur, le contenu du panier au retour du marché, ou les restes du dimanche soir, l'œuf cocotte se décline de mille façons !

Une seule recette pour improviser sur ce thème simplissime mais tellement gourmand :
2 œufs cassés dans de la crème et une garniture au choix, 10 minutes à four bien chaud...
Si le blanc de l'œuf est juste cuit et le jaune encore coulant... Ils régaleront petits et grands !

Légères, très classiques ou plus raffinées en voici quelques unes de mes préférées :

Tomates séchées et pistou :
Généralement servies comme antipasti, ou finement émincées dans une salade, quelques tomates séchées suffiront pour parfumer ces œufs cocottes.
Il est donc difficile de ne pas penser au basilic qui, ajouté juste avant de servir, fera de ces œufs une recette très ensoleillée.

Au foie gras :
L'incoutournable délice des tables de fêtes fera de ces œufs un petit plat très chic et n'attendra plus noël pour nous régaler !

Asperges vertes et coppa :
Les vertus de l'asperge sont connues depuis l'Antiquité ; les Grecs avaient dédié l'asperge à la déesse de l'amour... Alors un peu d'audace ! Précuites, rehaussées de coppa finement tranchée, elles feront de ces œufs une entrée remarquée et raffinée.

Trois fromages et noix :
Tous les fromages ou presque feront l'affaire ! D'habitude recyclés dans une quiche ou une omelette ; dans une mini-cocotte ils entoureront les œufs d'une robe crémeuse.

Aux herbes fraîches :
Une recette « plus légère » enfin presque !
Finement ciselées, ciboulette, persil, coriandre, estragon, menthe...parfumeront aisément toutes vos idées d'œufs cocottes.

Jambon et cheddar :
Des œufs cocottes pour les plus petits, me direz-vous ? Oui, mais pas seulement ! Les œufs cocottes permettent facilement de composer des recettes express adaptées au goût de tous et d'accommoder les restes du frigo... À chacun sa recette !

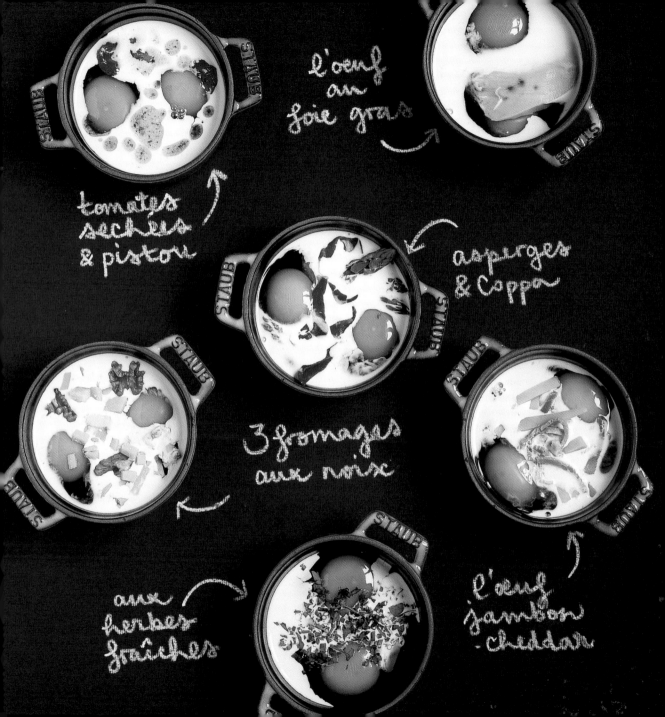

l'oeuf
au
foie gras

tomates
séchées
& pistou

asperges
& Coppa

3 fromages
aux noix

aux
herbes
fraîches

l'oeuf
jambon
- cheddar

ŒUFS MEURETTE EN COCOTTES

POUR 6 À 8 COCOTTES

6 à 8 œufs
180 g de lardons fumés
3 échalotes
1 oignon
75 cl de vin rouge
50 g de beurre
1 c. à café de sucre en poudre
poivre du moulin

Verser le vin dans une casserole de taille moyenne et porter à ébullition. Dès qu'il commence à bouillir, retirer la casserole du feu et flamber le vin pour faire brûler l'alcool. Remettre la casserole sur feu moyen, ajouter le sucre et laisser réduire le vin d'une bonne moitié afin d'obtenir une consistance un peu sirupeuse.

Pendant ce temps, éplucher et émincer finement l'oignon et les échalotes. Les cuire à feu doux dans le beurre pendant 15 minutes environ, jusqu'à ce qu'ils deviennent fondants. Ajouter les lardons, et cuire environ 5 minutes. Égoutter dans une passoire et réserver.

Préchauffer le four à 180 °C (th. 6).

Répartir le mélange aux lardons dans les cocottes, verser la réduction de vin à mi-hauteur.

Préparer un bain-marie pouvant aller au four et y déposer les cocottes. Casser délicatement les œufs au centre de chaque cocotte.

Enfourner et cuire environ 7 à 8 minutes environ. Terminer par un tour de moulin et servir aussitôt accompagné de mouillettes de pain de campagne.

ŒUFS BASQUAISE EN COCOTTES

POUR 6 À 8 COCOTTES

6 à 8 œufs
2 poivrons rouges
2 poivrons jaunes
2 oignons
2 gousses d'ail
1 petite boîte de tomates pelées
2 pincées de sucre en poudre
2 pincées de piment d'Espelette
en poudre
3 c. à soupe d'huile d'olive
sel et poivre

Éplucher les oignons et l'ail et épépiner les poivrons.

Écraser l'ail, émincer finement les oignons et les poivrons. Verser l'huile d'olive et l'ail dans une casserole et chauffer à feu moyen, faire suer les oignons et les poivrons puis ajouter le piment, le sucre et les tomates égouttées et coupées en deux. Saler, poivrer et cuire à feu doux pendant 20 à 25 minutes en remuant de temps en temps.

Préchauffer le four à 180 °C (th. 6).

Répartir la basquaise dans les cocottes.

Préparer un bain-marie pouvant aller au four et y déposer les cocottes. Casser délicatement les œufs au centre de chaque cocotte, enfourner et cuire environ 7 à 8 minutes.

ŒUFS POCHÉS EN COCOTTES AU CHÈVRE ET À LA MENTHE

POUR 6 À 8 COCOTTES

12 à 16 œufs
6 crottins de chèvre frais
1 botte de menthe fraîche
1 l de crème liquide
2 c. à soupe de mascarpone
1 verre de vinaigre blanc
sel et poivre du moulin

Sortir les œufs du réfrigérateur 30 minutes avant afin qu'ils soient à température ambiante lors de leur utilisation. Remplir d'eau une casserole à bord haut et mettre à chauffer avec le vinaigre jusqu'à frémissements.

Pendant ce temps, casser les œufs séparément dans des ramequins. Faire glisser délicatement les œufs, un par un, dans l'eau frémissante, les laisser pocher 3 minutes puis les sortir délicatement à l'aide d'une écumoire et les refroidir 1 à 2 min dans de l'eau bien froide. Égoutter les œufs et les disposer sur un papier absorbant.

Chauffer, dans une casserole, la crème et le mascarpone, saler, poivrer et laisser réduire à feu doux 8 minutes environ. Laver, effeuiller et ciseler finement la menthe. Couper les crottins en rondelles d'environ 1 cm d'épaisseur.

Préchauffer le four en position gril (pour mieux gratiner le chèvre) à 220 °C (th. 7/8). Disposer 2 œufs dans chaque cocotte, napper de crème au mascarpone, parsemer de menthe et terminer par 1 rondelle de chèvre. Enfourner les cocottes et surveiller la cuisson (environ 4 à 5 minutes). Attention les œufs sont déjà pochés et ne doivent plus cuire ! Seul le chèvre doit fondre dans la crème et gratiner légèrement.

Astuce : les œufs pochés peuvent être confectionnés la veille, les conserver dans de l'eau au réfrigérateur, protégés d'un film alimentaire.

12

Les légumes en kit

Directement inspirées du tian provençal, ces quelques idées de légumes en cocottes seront à la fois des petits plats vite faits bien faits ou des garnitures gourmandes et originaux pour vos plats préférés...

Les saisons, les régions, les couleurs, m'ont inspiré ces quelques recettes :

La provençale :

Aubergines, courgettes, tomates et mozzarella... toutes les saveurs de mon enfance dans une mini-cocotte qui a le goût du Sud et peut-être même l'accent...

La « very frenchy » :

Je ne me lasse pas des endives au jambon de ma maman. Ce plat n'a peut être plus aujourd'hui le succès qu'il mérite ou peut être a-t-il mal vieilli ?
Un petit relooking en cocotte s'impose !
Je choisis des poireaux juste cuits à la place des endives, du jambon de Paris et quelques allumettes de gruyère pour gratiner le tout...

La très très verte :

Il existe une incroyable variété de légumes verts. Pourtant, certains d'entre eux n'ont pas toujours, chez les petits comme chez les grands, un très franc succès.
Blanchis, passés au beurre, on les enfourne accompagnés d'une touche de ricotta un petit quart d'heure et cette cocotte très très verte met tout le monde d'accord...

L'italienne :

Aubergines, copeaux de parmesan et pignons de pin grillés... joliment disposés dans une cocotte que l'on passe au four et qui, c'est sûr, se suffira à elle-même.

La « bleue » :

Courgette et céleri finement tranchés, juste blanchis à l'eau bouillante, quelques tranches de roquefort ou autre fromage bleu, le tout intercalé successivement dans une cocotte... une quinzaine de minutes à four bien chaud...
Le tour est joué !

L'automnale :

Cette mini-cocotte d'artichauts, châtaignes et pommes de terre accompagnera parfaitement un gibier ou un bon rôti. Pour l'hiver, le printemps et l'été... improvisez !

la
«bleue»

l'automnale

la provençale

la very frenchy

l'italienne

la très très verte

Cocotte de légumes

200 g de carottes
150 g de racines de persil ou panais
150 g de topinambours
125 g de pois gourmands
5 fonds d'artichauts
8 oignons frais avec tiges
4 échalotes
1/2 botte de persil plat
1/2 botte de coriandre fraîche
1/2 botte de basilic
125 g de beurre demi-sel
2 cubes de bouillon de légumes
dans 50 cl d'eau environ
2 c. à soupe d'huile d'olive
sel, poivre

Éplucher et laver les carottes, les racines, les topinambours et les couper en gros morceaux. Couper les fonds d'artichauts en quatre, éplucher et équeuter les pois gourmands et les oignons frais.

Sortir le beurre du réfrigérateur pour qu'il ramollisse et préchauffer le four à 170 °C (th. 5/6).

Dans une casserole à fond épais, faire légèrement revenir tous les légumes dans un peu d'huile d'olive pendant 2 à 3 minutes.

Répartir équitablement les légumes dans les petites cocottes, puis verser le bouillon de légumes, couvrir les cocottes et laisser mijoter au four 30 minutes environ. Surveiller l'absorption du liquide et compléter si nécessaire.

Pendant ce temps, éplucher et ciseler finement les échalotes. Les mélanger dans un bol avec le beurre, saler et poivrer. Réserver à température ambiante.

Laver, effeuiller puis ciseler les herbes fraîches.

Vérifier la cuisson des légumes avec la pointe d'un couteau.

Déposer 1 noix de beurre d'échalotes sur les légumes, parsemer d'herbes fraîches et servir aussitôt.

Cocotte de carottes au curry et pain d'épice

POUR 6 À 8 COCOTTES

800 g de carottes
12 à 16 tranches de pain d'épice
25 cl de lait
25 cl de crème liquide
4 jaunes d'œufs
1 petite c. à café de curry
sel et poivre

Éplucher et laver les carottes. À l'aide d'une râpe ou d'une mandoline, les couper en rondelles très fines. Les plonger dans de l'eau bouillante salée 1 à 2 minutes afin de les attendrir puis refroidir à l'eau fraîche.

Mélanger, dans un saladier, les jaunes d'œufs, le lait, la crème et le curry, saler et poivrer.

Détailler et arrondir les tranches de pain d'épice afin qu'elles épousent bien les parois des cocottes.

Préchauffer le four à 170 °C (th. 5/6).

Préparer un bain-marie pouvant aller au four et y placer les cocottes.

Déposer un rond de pain d'épice au fond des cocottes, recouvrir de rondelles de carottes en pressant bien, napper du mélange crémeux puis tapisser à nouveau de pain d'épice.

Terminer avec le reste de crème et enfourner le bain-marie pour 35 à 40 minutes.

Ces cocottes peuvent se déguster aussi bien chaudes que froides.

MINI-GRATIN DE POMMES DE TERRE, CHAMPIGNONS ET ÉPINARDS

POUR 6 À 8 COCOTTES

800 g de pommes de terre
150 g de champignons de Paris
200 g d'épinards frais
20 g de beurre
60 cl de crème fraîche
2 gousses d'ail
2 pincées de muscade
sel et poivre

Éplucher l'ail et les pommes de terre. Effeuiller les épinards et les laver ainsi que les pommes de terre. Couper, nettoyer les pieds des champignons, les couper en fines lamelles et trancher les pommes de terre en rondelles pas trop fines.

Alterner couches de pommes de terre et de champignons dans les cocottes jusqu'à mi-hauteur.

Préchauffer le four à 180 °C (th. 6).

Dans un saladier, mixer la crème, l'ail, la muscade et les épinards. Saler et poivrer. Répartir ce mélange sur les cocottes puis enfourner pendant 35 minutes environ.

PETITE FONDUE DE FROMAGES AUX LÉGUMES

POUR 6 À 8 COCOTTES

125 g de comté
125 g de gruyère
125 g de cheddar
1 l de vin blanc
1 gousse d'ail
1 kg environ de légumes crus ou cuits de votre choix (carottes, radis, champignons, céleri branche…)
3 belles pincées de poivre

Râper les fromages, ou les couper en petits cubes et réserver au frais.

Éplucher, laver et tailler les légumes.

Mettre le vin blanc à chauffer sur feu moyen avec l'ail écrasé et le poivre. Laisser frémir et réduire le vin à peu près de moitié.

Préchauffer le four à 170 °C th. 5/6.

Répartir le vin réduit et les fromages dans les cocottes. Couvrir et enfourner 10 à 12 minutes environ, jusqu'à ce que les fromages soient bien fondus.

Servir les cocottes bien chaudes accompagnées de leur assortiment de légumes, de petites piques en bois ou de fourchettes à escargots.

Clafoutis de petits pois, jambon et Boursin

Pour 4 à 5 cocottes

3 à 4 tranches de jambon blanc
200 g de petits pois (écossés ou surgelés)
70 g de Boursin
15 cl de crème liquide
20 cl de lait
4 œufs entiers
1 jaune d'œuf
60 g de Maïzena
sel et poivre

Mettre le Boursin dans un saladier avec le jaune d'œuf, mélanger doucement au fouet en ajoutant les œufs un par un, incorporer ensuite la Maïzena, puis la crème liquide et le lait petit à petit. Saler, poivrer et réserver au frais.

Préchauffer votre four à 180 °C (th. 6).

Tailler le jambon en petits morceaux et mélanger avec les petits pois puis répartir dans vos cocottes préalablement disposées sur une plaque à rebord remplie d'eau à mi-hauteur d'eau.

Répartir le mélange crémeux au Boursin dans chaque cocotte et enfourner, sans les couvercles, 20 à 25 minutes environ.

Cocotte savoyarde

POUR 4 À 6 COCOTTES

1 kg de pommes de terre
1 reblochon
100 g de lardons
1 gousse d'ail
1 oignon
20 cl de crème fraîche liquide
20 cl de vin blanc
2 pincées de noix de muscade
sel et poivre

Éplucher puis ciseler finement l'oignon.

Verser le vin dans une casserole, ajouter l'oignon et chauffer à feu moyen 3 à 4 minutes puis ajouter la crème et laisser réduire encore 2 à 3 minutes. Réserver hors du feu.

Préchauffer le four à 180 °C (th. 6).

Pendant ce temps, éplucher et laver les pommes de terre. Couper le fromage en fines tranches et les pommes de terre en fines rondelles.

Frotter le fond des cocottes avec la gousse d'ail épluchée.

Disposer une rosace de pommes de terre dans le fond des cocottes, saupoudrer de sel (avec parcimonie car la recette est déjà salée naturellement), de poivre, d'un peu de noix de muscade, puis ajouter du reblochon, quelques lardons et ainsi de suite jusqu'aux 2/3 de la hauteur des cocottes. Terminer par une tranche de reblochon et arroser avec la crème au vin blanc. Enfourner les cocottes pendant 30 minutes et à mi-cuisson, suivant la coloration, couvrir pour ne pas dessécher les gratins.

Cocotte soufflée
de pommes de terre au lard

Pour 6 à 8 cocottes

12 tranches fines de poitrine fumée
500 g pommes de terre
4 blancs d'œufs
80 g + 40 g de beurre mou
2 pincées de muscade
sel et poivre

Remplir une casserole d'eau froide salée et cuire les pommes de terre 25 à 30 minutes (selon leur taille) à partir de l'ébullition.

Pendant ce temps, à l'aide d'un pinceau, badigeonner les cocottes avec les 80 g de beurre et réserver au réfrigérateur 8 à 10 minutes. Sortir les blancs d'œufs du réfrigérateur pour les mettre à température ambiante.

Émincer finement les tranches de lard (garder 2 ou 3 tranches pour la présentation). Égoutter, refroidir et éplucher les pommes de terre. Les écraser dans un saladier à l'aide d'un rouleau à pâtisserie ou d'un presse-purée et incorporer 40 g de beurre fondu. Ajouter la muscade, les lamelles de lard et rectifier l'assaisonnement.

Préchauffer le four à 210 °C (th. 7).

Monter en neige ferme les blancs d'œufs avec 1 pincée de sel et les incorporer délicatement à l'aide d'une spatule à la purée de pomme de terre au lard.

Remplir les cocottes à ras bord et lisser à la spatule.

Enfourner pendant 15 minutes : le mélange doit monter et dorer légèrement. Décorer avec les petites tranches de lard et servir sans attendre.

RAVIOLES DE ROYAN AU BOUILLON DE POULE

POUR 6 À 8 COCOTTES

**300 g environ de ravioles de Royan
3 cubes de bouillon de poule dans
75 cl d'eau
1 botte de coriandre fraîche
poivre**

Porter le bouillon de poule à ébullition dans une casserole.

Préchauffer le four à 170 °C (th. 5/6).

Pendant ce temps, laver et effeuiller la coriandre puis détacher les ravioles.

Verser le bouillon chaud aux 2/3 des cocottes puis répartir les ravioles.

Parsemer de feuilles de coriandre, poivrer puis couvrir et enfourner 5 minutes environ.

Cocotte de lentilles colorées et saucisse de Morteau

Pour 6 à 8 cocottes

80 g de lentilles vertes
80 g de lentilles noires (épicerie bio ou asiatique)
80 g de lentilles corail (épicerie bio ou asiatique)
1/2 saucisse de Morteau
1 oignon
1 branche de thym
1 feuille de laurier
2 cubes de bouillon de poule
(env. 75 cl d'eau)
2 c. à soupe de moutarde en grains
sel

Mettre séparément les 3 types de lentilles dans 50 cl d'eau froide salée et laisser cuire à feu moyen, 10 minutes pour les corail et 20 minutes pour les vertes et les noires.

Pendant ce temps, éplucher et ciseler l'oignon.

Porter le bouillon de poule à ébullition avec l'oignon, le thym, le laurier et la demi-saucisse puis laisser cuire à petits bouillons pendant 10 minutes environ.

Égoutter et rafraîchir les lentilles.

Préchauffer le four à 200 °C (th. 6/7).

Éplucher et détailler la saucisse en demi-rondelles puis filtrer le bouillon à l'aide d'une passoire fine ou d'un chinois et y délayer la moutarde.

Répartir le mélange de lentilles dans les cocottes, verser le bouillon à mi-hauteur et intercaler les petites tranches de saucisse. Couvrir et enfourner 25 minutes.

TRAVERS DE PORC ET POMMES GRENAILLES CARAMÉLISÉES

POUR 6 À 8 COCOTTES

800 g à 1 kg de travers de porc frais
400 g de pommes grenailles
2 oignons
10 cl de vin blanc
40 cl de sauce hoisin (asiatique) ou
de marinade (voir recette de poulet et
crevettes à la thaïe, p. 38)
20 g de sucre en poudre
2 c. à soupe d'huile de tournesol
40 g de beurre
sel et poivre

Couper le travers de porc en petits morceaux en prenant soin de garder au mieux 2 os par pièce ; nettoyer à l'aide d'un petit couteau les os (façon carré de porc) pour une présentation plus jolie (ou demander à votre boucher).

Mettre les morceaux de travers dans une casserole remplie d'eau froide, saler et porter à ébullition. Précuire à feu moyen pendant 20 minutes.

Pendant ce temps, éplucher les pommes grenailles et les oignons. Laver les pommes grenailles et ciseler les oignons.

Dans une poêle à bords hauts, chauffer l'huile, le beurre et le sucre. Faire caraméliser légèrement à feu vif les pommes et les oignons puis ajouter le vin blanc, saler, poivrer et laisser cuire à feu plus doux jusqu'à évaporation du liquide.

Préchauffer le four à 180 °C (th. 6).

Égoutter et rincer les morceaux de travers.

Les badigeonner, à l'aide d'un pinceau, avec la sauce hoisin ou la marinade puis les répartir dans les cocottes ainsi que les pommes aux oignons.

Verser 2 c. à soupe d'eau dans chaque cocotte et enfourner pendant 30 minutes environ.

Coquelet en cocotte aux deux pommes et framboises

Pour 6 à 8 cocottes

3 coquelets d'environ 600 g
3 à 4 pommes (jonagold ou reinette)
200 g de vitelottes (pommes de terre bleues)
125 g de framboises
15 cl de vinaigre de framboise
50 g de beurre
5 cl d'huile de tournesol
50 cl de cidre
sel et poivre

Découper à cru les coquelets en deux parties égales dans le sens de la longueur puis séparer les cuisses des ailes.

Manchonner les blancs (retirer les ailerons) et les cuisses (dégager la chair du haut de l'os) pour une présentation plus jolie.

Mettre les vitelottes avec leur peau dans une casserole remplie d'eau froide. Saler généreusement (pour fixer la couleur), porter à ébullition et cuire pendant 15 minutes.

Pendant ce temps, laver, vider et couper les pommes en petits quartiers.

Chauffer, dans une poêle, l'huile et le beurre puis saisir les morceaux de coquelets et les quartiers de pommes pour les précuire et leur donner une jolie couleur dorée. Saler, poivrer et déglacer avec le vinaigre de framboise. Réserver hors du feu.

Égoutter, refroidir puis éplucher délicatement les vitelottes.

Préchauffer le four à 200 °C (th. 6/7).

Garnir les cocottes avec les coquelets, les quartiers de pommes, quelques vitelottes et les framboises puis arroser avec le cidre. Enfourner pendant 30 minutes.

COCOTTE DE POULET ET CREVETTES À LA THAÏE

POUR 6 À 8 COCOTTES

6 à 8 pilons de poulets
12 à 16 grosses crevettes
80 g de ketchup
40 g de gingembre frais
3 gousses d'ail
1 c. à soupe de miel
20 cl de fond de veau déshydraté ou
bouillon de bœuf en cube
5 cl de sauce soja (Kikkoman)
1/2 botte de coriandre fraîche
80 g de sésame
12 à 16 jeunes épis de maïs en boîte ou
surgelés (facultatif)

La veille, éplucher et hacher finement l'ail et le gingembre. Mélanger, dans un saladier, le ketchup, le miel, la sauce soja, le fond de veau, l'ail et le gingembre. Décortiquer chaque crevette en gardant la dernière bague de la queue. Mélanger les pilons de poulet et les crevettes avec la marinade et réserver au réfrigérateur jusqu'au lendemain.

Préchauffer le four à 170 °C (th. 5/6).

Garnir chaque cocotte avec un pilon de poulet, deux crevettes et deux jeunes épis de maïs.

Délayer le reste de marinade avec un peu d'eau et verser sur les cocottes, saupoudrer de sésame et enfourner pendant 25 à 30 minutes.

Servir les cocottes sans attendre en ajoutant quelques feuilles de coriandre fraîche.

Cocotte de canard, citron et sauge

Pour 6 à 8 cocottes

5 à 6 cuisses de canard confit
4 citrons
200 g de sucre en poudre
1 l d'eau
1 botte de sauge
100 g de chapelure
30 g de beurre
2 gousses d'ail

Couper les citrons en six, les mettre à chauffer dans une casserole à feu moyen, avec le sucre et l'eau puis laisser confire jusqu'à quasi-totale évaporation du liquide. Réserver les citrons à température ambiante dans leur sirop. (Pour gagner du temps, on peut réaliser cette étape la veille ou utiliser des citrons confits).

Sortir le beurre du réfrigérateur pour le mettre le beurre à température ambiante.

Allumer le four à 180 °C (th. 6) et enfourner les cuisses de canard dans un plat à gratin pour les dégraisser au maximum.

Pendant ce temps, effeuiller et laver la sauge, éplucher et hacher les gousses d'ail.

Mélanger, dans un bol, la chapelure, le beurre mou, l'ail et quelques feuilles de sauge ciselées ; malaxer du bout des doigts.

Sortir le canard du four, désosser les cuisses en prenant soin de conserver des gros morceaux de chair et les répartir dans les cocottes. Couper quelques citrons en petits morceaux et les ajouter au canard. Parsemer de chapelure parfumée et enfourner environ 15 minutes.

À la sortie du four, ajouter quelques belles feuilles de sauge avant de servir.

Cocotte de crevettes et asperges au parmesan

16 grosses crevettes
2 bottes d'asperges vertes
400 g de parmesan entier
200 g de chapelure
40 cl de crème liquide
sel et poivre

Éplucher et précuire les asperges à petits bouillons dans de l'eau salée pendant 10 minutes : elles doivent rester fermes.

Pendant ce temps, décortiquer les crevettes en prenant soin de garder la tête et la queue et râper le parmesan à l'aide d'un économe ou d'un robot afin d'obtenir de jolis copeaux.

Retirer les asperges de l'eau avec précaution, les refroidir et les égoutter à plat sur un papier absorbant. Les couper en deux, conserver les pointes et mixer les pieds avec la crème et un peu de parmesan, saler légèrement et poivrer.

Répartir cette crème dans le fond des cocottes.

Préchauffer le four à 180 °C (th. 6).

Passer les crevettes et les pointes d'asperges dans la chapelure et les disposer, têtes en l'air dans les cocottes ; recouvrir généreusement de parmesan et mettre au four pendant 8 minutes.

Cocotte de coquillages au cidre

Pour 6 à 8 cocottes

400 g de moules
200 g de coques
200 g de palourdes
75 cl de cidre
3 à 4 échalotes
1/2 botte de cerfeuil ou persil
12 mini-carottes (facultatif)
1 petit pot de crème fraîche (facultatif)
poivre du moulin

Gratter les moules et laver tous les coquillages dans plusieurs eaux. Égoutter et réserver.

Chauffer le cidre, dans un faitout, sur feu vif et laisser bouillir 2 minutes.

Éplucher et ciseler finement les échalotes.

Ajouter les coquillages au cidre chaud, poivrer et mélanger avec une écumoire jusqu'à ce qu'ils s'ouvrent légèrement.

Préchauffer le four à 170 °C (th. 5/6).

Répartir les échalotes et les coquillages précuits dans les cocottes. Filtrer le cidre à travers un tamis très fin ou une mousseline pour éliminer le sable puis le verser sur les coquillages.

Recouvrir légèrement les cocottes d'aluminium et enfourner 6 minutes environ.

Parsemer de persil ou de cerfeuil, d'une petite cuillère de crème ou de jeunes carottes cuites si vous le souhaitez, et servir aussitôt.

Astuce : vous pouvez ajouter la crème avant d'enfourner vos cocottes pour qu'elle fonde et se lie au cidre ou la servir à part.

Mini-bouillabaisse

Pour 6 à 8 cocottes

6 à 8 filets de rouget
6 à 8 langoustines
300 g de moules
300 g de filet de rascasse, congre ou
saint-pierre
1 l de soupe de poisson
5 cl de pastis
400 g de pommes de terre
2 g de safran
sel et poivre

Éplucher, laver puis couper les pommes de terre en rondelles épaisses. Les mettre dans une casserole remplie d'eau froide salée, ajouter la moitié du safran et le pastis, porter à ébullition et cuire pendant 8 minutes : elles doivent rester fermes.

Pendant ce temps, nettoyer les moules, décortiquer les langoustines en prenant soin de garder la tête et la queue puis détailler les filets de poisson en petits morceaux.

Préchauffer le four à 170 °C (th. 5/6).

Retirer délicatement les pommes de terre de l'eau, à l'aide d'une écumoire. Mélanger le reste de safran et la soupe de poisson à l'eau de cuisson, puis chauffer jusqu'aux premiers frémissements. Répartir dans les cocottes. Disposer d'abord 1 ou 2 rondelles de pommes de terre dans le fond des cocottes puis les langoustines et enfin les filets de poisson et les moules. Terminer avec le reste de pommes de terre.

Enfourner les cocottes et les cuire pendant 25 minutes environ.

Astuce : la bouillabaisse se sert traditionnellement en 2 services, la soupe pour commencer avec des croûtons et de la rouille puis les poissons entiers et les pommes de terre. Cette mini-bouillabaisse peut donc s'accompagner de quelques croûtons nappés de rouille en guise de mouillettes.

COCOTTE DE SAINT-JACQUES
AU THÉ ET À LA CITRONNELLE

POUR 6 À 8 COCOTTES

6 à 8 noix de saint-jacques
1 chou chinois
25 g de thé
2 bâtons de citronnelle
1 l de bouillon de légumes (3 cubes)
20 g de sucre en poudre
2 c. à soupe d'huile d'olive
sel et poivre

Retirer le cœur du chou puis l'émincer finement.

Chauffer une casserole remplie d'eau salée et à l'ébullition, plonger le chou pendant 2 minutes puis l'égoutter et le refroidir sous un filet d'eau froide. Réserver.

Chauffer le bouillon de légumes sur feu moyen avec les bâtons de citronnelle émincés puis ôter du feu à l'ébullition, ajouter le thé et laisser infuser.

Pendant ce temps, chauffersur feu vif l'huile d'olive, dans une poêle et saisir les saint-jacques une minute de chaque côté. Débarrasser et réserver sur un papier absorbant.

Préchauffer le four à 180 °C (th. 6).

Répartir le chou dans les cocottes à mi-hauteur.

Filtrer le bouillon au thé à l'aide d'une passoire fine ou d'un chinois. Le répartir dans les cocottes afin de bien recouvrir le chou.

Disposer une saint-jacques dans chaque cocotte, saler et poivrer puis couvrir et enfourner pendant 6 à 7 minutes. Servir aussitôt.

Cocotte crumble aux escargots et noix de pétoncles

POUR 6 À 8 COCOTTES

4 douzaines d'escargots (en boîte)
300 g de noix de pétoncles
4 gousses d'ail
1 botte de persil plat
150 g de beurre demi-sel mou
40 cl de vin blanc
8 tranches de pain de mie
80 g d'amandes effilées
sel et poivre

Laver puis effeuiller le persil.

Éplucher l'ail et retirer le germe, hacher finement avec le persil puis mélanger avec le beurre mou dans un petit saladier. Réserver à température ambiante.

Couper le pain de mie en petits dés, mélanger avec les amandes et faire revenir 2 à 3 minutes à la poêle avec un peu de beurre persillé ; saler et poivrer.

Préchauffer le four à 200 °C (th. 6-7).

Répartir les escargots et les noix de pétoncles dans les cocottes, saler, poivrer, arroser d'un peu de vin blanc et ajouter 1 belle noisette de beurre persillé.

Recouvrir avec les croûtons aux amandes et enfourner 8 à 10 minutes.

Cocotte de cabillaud et chorizo, coulis de poivrons

POUR 6 À 8 COCOTTES

500 g de filet de cabillaud avec peau
8 tranches de chorizo
4 poivrons rouges
1 c. à café de concentré de tomates
2 gousses d'ail
1 oignon
10 cl d'huile d'olive
sel et poivre

Allumer le four à 220 °C (th. 7-8).

Arroser les poivrons d'huile d'olive. Enfourner pendant 20 à 25 minutes environ. Ils doivent être bien grillés et la peau presque brûlée. Les recouvrir d'aluminium et laisser refroidir à température ambiante.

Pendant ce temps, tailler le cabillaud en gros cubes d'environ 70 g et réserver au réfrigérateur. Éplucher et ciseler l'ail et l'oignon.

Ouvrir les poivrons en deux, retirer le pédoncule et les pépins puis la peau. Dans une casserole, chauffer le reste d'huile d'olive, faire revenir l'ail et l'oignon (sans coloration) 3 à 4 minutes, puis ajouter la chair des poivrons, le concentré de tomates et 10 cl d'eau. Saler, poivrer, bien mélanger et laisser cuire 5 minutes.

Retirer du feu et mixer le tout, afin d'obtenir un coulis (rajouter un peu d'eau si le mélange semble trop épais).

Verser le coulis dans les cocottes à mi-hauteur puis disposer au centre 1 morceau de cabillaud, 1 tranche de chorizo. Saler, poivrer légèrement, couvrir et mettre les cocottes au four 20 minutes.

Astuce : vous pouvez remplacer l'eau dans le coulis par de la crème liquide et ainsi obtenir une crème de poivrons plus gourmande…

Filet de sole et épinards, meringue aux amandes

Pour 6 à 8 cocottes

18 à 24 petits filets de soles (3 par cocotte)
1 kg d'épinards en branches surgelés
1 petit flacon de sauce pimentée (chili ou asiatique)
4 blancs d'œufs
50 g de sucre en poudre
120 g d'amandes effilées
sel et poivre

Faire décongeler les épinards, la veille, dans une passoire.

Bien presser les épinards afin de retirer toute l'eau et réaliser des petites boules cylindriques (autant que les filets de sole).

Mettre les filets de sole bien à plat sur le plan de travail, saler, poivrer et verser un trait de sauce pimentée sur toute leur longueur. Disposer les boules d'épinards à l'extrémité des filets, puis les enrouler sur eux-mêmes.

Préchauffer le four à 150 °C (th. 5).

Monter les blancs d'œufs en neige puis incorporer le sucre et fouetter de nouveau énergiquement pour obtenir une belle meringue.

Répartir les filets de sole dans les cocottes, saler, poivrer et rajouter un peu de sauce pimentée entre chacun d'eux. À l'aide d'une spatule, recouvrir les cocottes de meringue et parsemer d'amandes effilées.

Enfourner 25 minutes.

Astuce : vous pouvez réaliser les cocottes la veille et les conserver au réfrigérateur, recouvertes d'un film alimentaire, vous n'aurez plus qu'à réaliser la meringue et cuire vos cocottes au dernier moment.

VELOUTÉ DE CRESSON AU SAUMON EN COCOTTE FEUILLETÉE

POUR 8 COCOTTES

600 g de filet de saumon frais sans peau
8 disques de pâte feuilletée de 13 cm de diamètre
15 cl de crème liquide
1,5 l d'eau
20 g de beurre
3 jaunes d'œufs
1 gousse d'ail
2 belles bottes de cresson
1/2 branche de céleri
1/2 blanc de poireau
muscade
sel et poivre

Effeuiller le cresson, bien laver les feuilles dans de l'eau vinaigrée puis les égoutter. Émincer finement le poireau, le céleri et l'ail.

Faire fondre le beurre dans un faitout à feu moyen. Ajouter le poireau, le céleri et l'ail, faire suer 1 à 2 minutes puis ajouter l'eau, saler généreusement et porter à ébullition. Pendant ce temps, détailler le saumon en cubes d'environ 40 g et réserver au frais.

Ajouter la crème liquide au bouillon, laisser réduire doucement environ 10 minutes puis ajouter les feuilles de cresson et cuire 5 à 7 minutes. Mixer finement le velouté, ajouter la muscade et rectifier l'assaisonnement. Laisser refroidir un peu puis répartir dans les cocottes à mi-hauteur et ajouter les cubes de saumon.

À l'aide d'un pinceau, badigeonner d'eau froide le pourtour des cercles de pâte feuilletée sur environ 2 cm de large. Retourner les cercles sur les cocottes et presser les bords afin de bien faire adhérer la pâte. Mélanger les jaunes d'œufs avec quelques gouttes d'eau et une pointe de sel puis dorer délicatement la pâte feuilletée.

Préchauffer le four à 200 °C (th. 6-7). Mettre les cocottes au frais 15 minutes. Les enfourner ensuite pour 15 minutes.

Astuce : vous pouvez réaliser les cocottes la veille et les réserver au réfrigérateur.

Cocotte au pain perdu, camembert et groseilles

Pour 6 à 8 cocottes

**18 à 20 tranches de pain brioché
50 cl de crème liquide
2 camemberts
poivre du moulin
1 pot de gelée de groseilles**

Détailler et arrondir les tranches de pain brioché afin qu'elles épousent les parois des cocottes.

Couper les camemberts en fines tranches.

Préchauffer le four à 200 °C (th 6/7).

Déposer un rond brioché dans le fond des cocottes puis le camembert, un peu de poivre et ainsi de suite jusqu'à mi-hauteur. Bien presser et terminer par 1 ou 2 tranches de camembert. Napper de crème liquide et enfourner pendant 15 minutes environ.

Servir les cocottes bien chaudes, accompagnées de gelée de groseilles.

COCOTTE TOUT CHOCOLAT

POUR 4 À 6 COCOTTES

3 œufs
125 g de beurre + 50 g pour les cocottes
125 g de sucre en poudre
200 g de chocolat noir
60 g de farine
20 g de fécule de pomme de terre
20 g de cacao en poudre

Découper le chocolat et le beurre en petits morceaux et les faire fondre au bain-marie dans une casserole. Laisser ramollir les 50 g de beurre pour chemiser les cocottes.

Dans un bol, mélanger la farine, la fécule et le cacao.

Ajouter le sucre au chocolat fondu puis les œufs entiers et mélanger énergiquement au fouet.

Y incorporer ensuite le mélange farine/cacao jusqu'à ce que la pâte soit bien homogène.

À l'aide d'un pinceau, beurrer généreusement l'intérieur des cocottes.

Répartir la pâte au chocolat dans les cocottes et les mettre au réfrigérateur au moins 30 minutes (les préparer la veille, c'est encore mieux).

Préchauffer le four à 200 °C (th. 6/7).

Enfourner les cocottes 7 à 8 minutes.

Déguster sans attendre !

cuisson 18 min

COCOTTE DE FRUITS
AU VIN DOUX, SABAYON ÉPICÉ

POUR 6 À 8 COCOTTES

400 à 500 g de fruits de saison
40 cl de vin blanc doux (type jurançon
ou sauternes)
8 jaunes d'œufs
250 g de sucre en poudre
10 g de mélange d'épices en poudre
(vanille, cannelle, gingembre,
cardamome, anis…)

Laver, éplucher tous les fruits choisis et couper en morceaux les plus gros d'entre eux.

Les répartir harmonieusement dans les cocottes et les arroser avec un peu de vin.

Préchauffer le four à 180 °C (th. 6).

Dans un saladier posé au-dessus d'une casserole d'eau frémissante (bain-marie), travailler énergiquement, à l'aide d'un fouet, les jaunes d'œufs avec le sucre semoule et les épices, jusqu'à ce que le mélange blanchisse, épaississe et double de volume (compter 15 minutes environ). Puis, hors du bain-marie, incorporer le reste du vin blanc.

Napper généreusement les fruits de sabayon, puis glisser les cocottes dans le four et laisser colorer 2 à 3 minutes environ sur position gril.

Pain perdu au lait de coco, framboises et pistaches

Pour 6 à 8 cocottes

18 à 20 tranches de brioche
125 g de framboises
50 g de pistaches émondées nature
6 jaunes d'œufs
20 cl de crème liquide
40 cl de lait de coco
120 g de sucre en poudre
5 cl de rhum

Détailler et arrondir les tranches de brioche afin qu'elles épousent bien les parois des cocottes.

Dans un saladier, mélanger énergiquement les jaunes d'œufs, le sucre et le rhum puis ajouter la crème et le lait de coco. Bien mélanger et réserver.

Préchauffer le four à 170 °C (th. 5/6).

Préparer un bain-marie pouvant aller au four (utiliser deux plats de tailles différentes, le grand rempli d'eau et le petit placé dans l'eau.)

Imbiber les tranches de brioche de la crème de coco.

Déposer un rond de brioche dans le fond de chaque cocotte, parsemer de quelques framboises et pistaches et ainsi de suite successivement jusqu'à mi-hauteur. Répartir le reste de crème dans les cocottes puis les disposer dans le bain-marie.

Enfourner pour 20 à 25 minutes de cuisson.

Astuce : ces pains perdus en cocottes peuvent se déguster chauds ou tièdes, accompagnés de crème épaisse, ou même froids, nappés d'un coulis de framboises.

Cocotte soufflée aux pommes

Pour 6 à 8 cocottes

4 à 5 pommes (jonagold ou reinette)
50 g de beurre mou
5 blancs d'œufs
40 g de sucre
1 pincée de sel

Éplucher, vider et couper les pommes en gros cubes.

Les cuire dans une casserole, à feu moyen, avec la moitié du sucre et un petit verre d'eau, jusqu'à évaporation du liquide, en mélangeant bien de manière à obtenir une compote bien sèche. Débarrasser dans un saladier et réserver à température ambiante.

Préchauffer le four à 210 °C (th. 7).

À l'aide d'un pinceau, badigeonner généreusement de beurre les cocottes puis les mettre au réfrigérateur environ 10 minutes.

Monter en neige les blancs d'œufs salés, au fouet ou au batteur, puis les raffermir avec le reste du sucre.

Incorporer délicatement, à l'aide d'une spatule en silicone, les blancs en neige à la compote.

Remplir les cocottes, lisser à la spatule et, à l'aide du pouce et de l'index, nettoyer les contours pour que la préparation monte joliment à la cuisson (comme un soufflé).

Enfourner pendant 12 à 15 minutes et servir sans attendre.

COCOTTE POMMES-PRUNEAUX FAÇON CROUSTADE

POUR 6 À 8 COCOTTES

6 à 8 pommes (la variété de votre choix)
30 pruneaux dénoyautés
30 cl de calvados ou d'armagnac
150 g de sucre en poudre
6 à 8 feuilles de brick
120 g de beurre
20 g de sucre roux en poudre

Réaliser un sirop : dans une casserole, dissoudre la moitié du sucre avec un petit verre d'eau et la moitié du calvados puis chauffer légèrement jusqu'aux premiers frémissements.

Verser le sirop chaud sur les pruneaux et laisser macérer 30 minutes.

Pendant ce temps, éplucher, vider et couper les pommes en quartiers. Les cuire dans une casserole, à feu moyen, avec le reste de sucre, de calvados et une grosse noix de beurre pendant 7 à 8 minutes en mélangeant bien.

Faire fondre le reste de beurre avec le sucre roux et, à l'aide d'un pinceau, badigeonner les feuilles de brick.

Préchauffer le four à 170 °C (th. 5/6).

Garnir les cocottes aux 2/3 avec les quartiers de pommes, quelques pruneaux puis arroser légèrement de sirop.

Froisser dans vos mains les feuilles de brick puis les disposer dans les cocottes.

Enfourner les cocottes en surveillant la coloration pendant 6 à 7 minutes. À la sortie du four, déguster sans attendre.

cuisson
35 min

Cocotte de potiron, châtaignes et crème vanillée

POUR 4 À 6 COCOTTES

800 g de potiron
125 g + 100 g de sucre en poudre
3 pincées de vanille en poudre
50 cl d'eau
20 châtaignes
3 œufs
35 cl de crème liquide
20 cl de lait
4 pincées de vanille en poudre

Éplucher le potiron et le tailler en quartiers réguliers.

Disposer les quartiers dans une poêle à bords hauts, ajouter les 125 g de sucre, la vanille, l'eau et confire à feu moyen jusqu'à évaporation du liquide.

Pendant ce temps, casser les œufs dans un petit saladier, ajouter les 100 g de sucre, fouetter énergiquement puis mélanger la crème, le lait et la vanille.

Préparer un bain-marie pouvant aller au four et y déposer les cocottes.

Préchauffer le four à 150 °C (th. 5).

Couper soigneusement les quartiers de potiron en gros cubes avant de les répartir dans les cocottes, parsemer de quelques châtaignes puis verser le mélange crémeux.

Enfourner 25 minutes environ. Retirer les cocottes du bain-marie et les laisser refroidir à température ambiante. Réserver ensuite les cocottes au réfrigérateur afin de les servir bien fraîches.

Shopping

STAUB
www.staub.fr

LE CREUSET
www.lecreuset.fr

REVOL
www.revol-porcelaine.fr

MARON BOUILLIE
www.maronbouillie.com

JAUNE DE CHROME
87400 saint léonard de noblat

TSÉ & TSÉ ET ASSOCIÉS
www.tse-tse.com

ASA
www.asa-selection.com

HABITAT
www.habitat.fr

GUY DEGRENNE
www.guydegrenne.fr

DELICA
www.delica.es

WINKLER
www.winkler-lingedemaison.eu

SERAX
www.serax.com

Remerciements

Merci… à Alex, Beno, Julien et Joël, mes complices de cuisine de près ou de loin, mais toujours fidèles, ainsi qu'à Christophe et à toute l'équipe du Café noir.

www.cafenoirparis.com

Merci à Akiko et Camille (mes cocottes préférées!) ainsi qu'à toute l'équipe Marabout.

Relecture : Marie-Charlotte Muller

© Marabout 2008

Dépôt légal : mars 2010

ISBN : 978-2-501-05791-2

Codif : 4046264/10

Imprimé en Espagne par Graficas Estella